FREEDOM
WORDS BY AYUMU TAKAHASHI

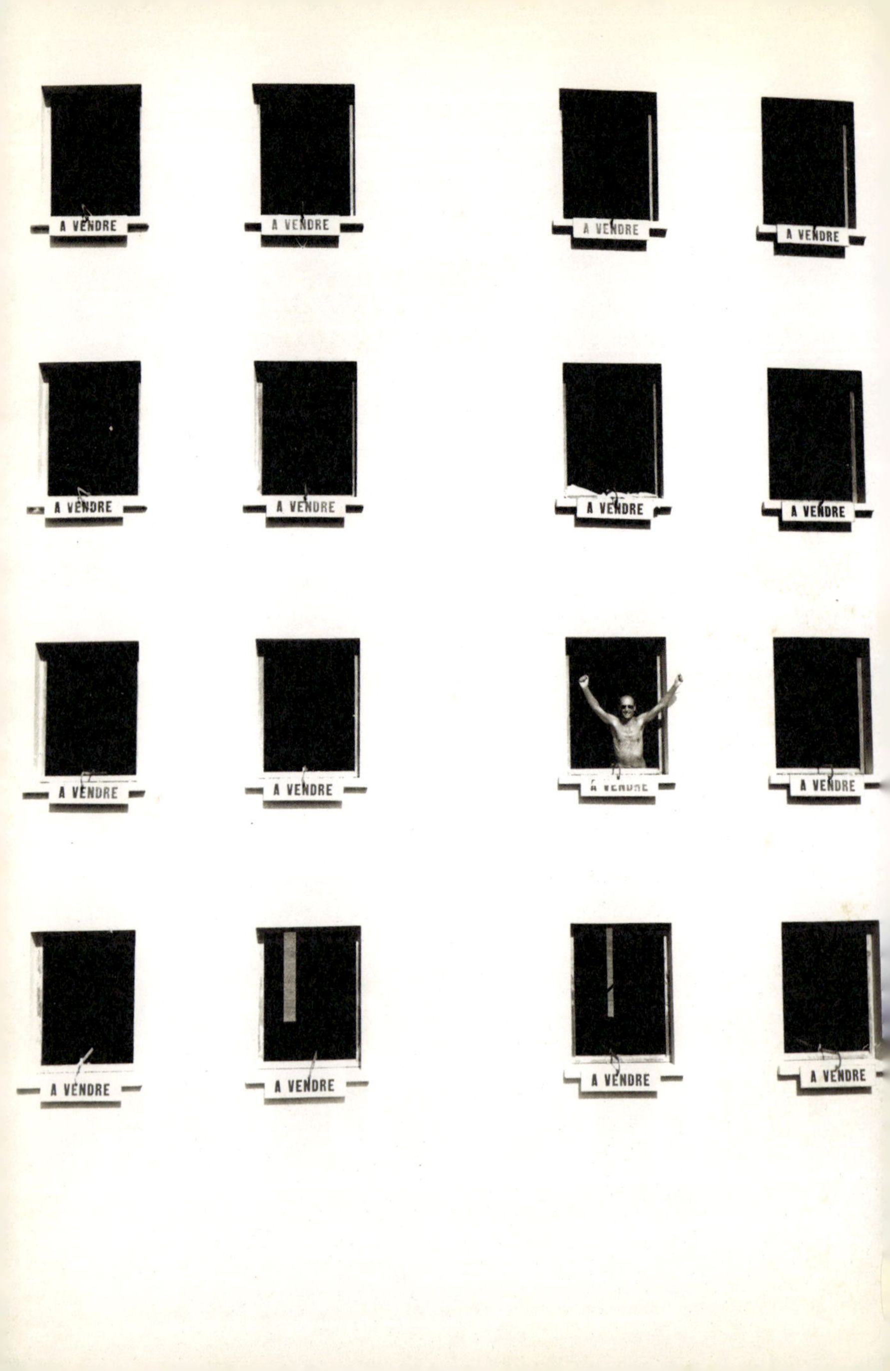
A VENDRE
A VENDRE
A VENDRE
A VENDRE
A VENDRE
A VENDRE
A VENDRE
A VENDRE
A VENDRE
A VENDRE
A VENDRE
A VENDRE
A VENDRE
A VENDRE
A VENDRE

まえがき、というか、らくがき。

この本は、自由を求めて冒険を続ける後輩たちへのラブレターだ。
せちがらい大人たちの吹かせる冷たい風にも負けず、日本中、世界中で頑張っている10代、20代のみんなへ。
自分自身の経験から生まれてきた言葉の中から、今、届けたい言葉を、勢いにまかせて、ガガガーっと書き殴ってみた。
読んでくれたひとりひとりの人生に、新しい「出逢い」が生まれることを願って。
VIVA! LIFE!

たかはしあゆむ　2009.8.26　ALASKA

21世紀のトムソーヤたちへ。
この本を捧ぐ。

ねぇ、
何でも出来るとしたら、
何したい？

ドラゴンボール7つ揃ったとしたら、何を叶える？

やりたいことを、
「自分が出来そうなことリスト」の中から選んでたら、

そりゃ、ワクワクしねぇよ。

さあ、自由

時間だぜ!

夢があろうとなかろうと、
楽しく生きてる奴が最強。

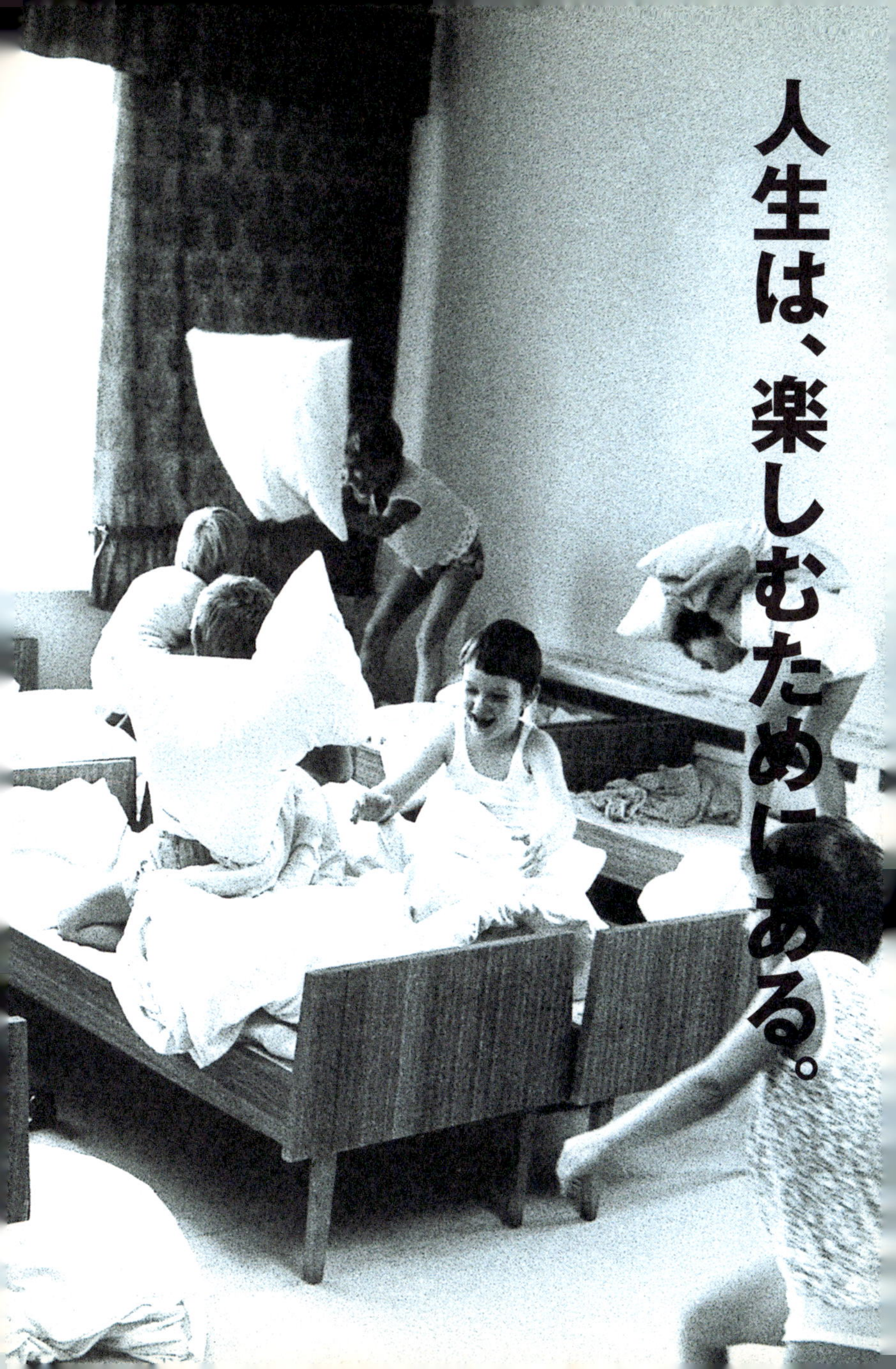
人生は、楽しむためにある。

必要なのは勇気ではなく覚悟。

決めてしまえば、すべては動き始める。

„Vorhang auf!“
Bühnentechnik
U
DU IN DEN
DONNERSTAG,

とりあえず、

やっとけ。

SS
Winning
月29日
ホール
10R 乙丸
8R

SERTORELLI'S
RESTAURANT

自由であり続けるために。
自分であり続けるために。

僕らはこの街から冒険を始めよう。

FREEDOM
WORDS BY AYUMU TAKAHASHI

夢は逃げない。
逃げるのはいつも自分だ。

くだらない既成の常識なんて、

ハナクソ。

食べちゃえ!

自分にとって、一番大切なことはなんだろう?
それは、すでに決まっていることではなく、

今、自分が、「決める」もの。

大好き! サイコー!

それほど、信じられるサインはない。

俺たちは無力だ。
だけど、無敵だ。

すべてを失うことで

すべては手に入る。

愛されたいと願うばかりで、
愛することを忘れていないか？

人生は、すべて、自分が選んでる。
だから、すべて、自分で変えることが出来る。
いいねぇ。自由だねぇ。

自分の心の声に正直に。

playmobil
playmobil
playmobil
playmobil
FIRE

PLAYE

放浪しちゃえば？

旅をして、自分をぶっ壊せ!

514

経験だけが真実だ。

自分の人生だろ。

自分の感覚を信じずに、いったい何を信じるんだ？

この胸のときめきがきたってことは、

もう、それだけで
OKなんだよ。

Männer-
sache!

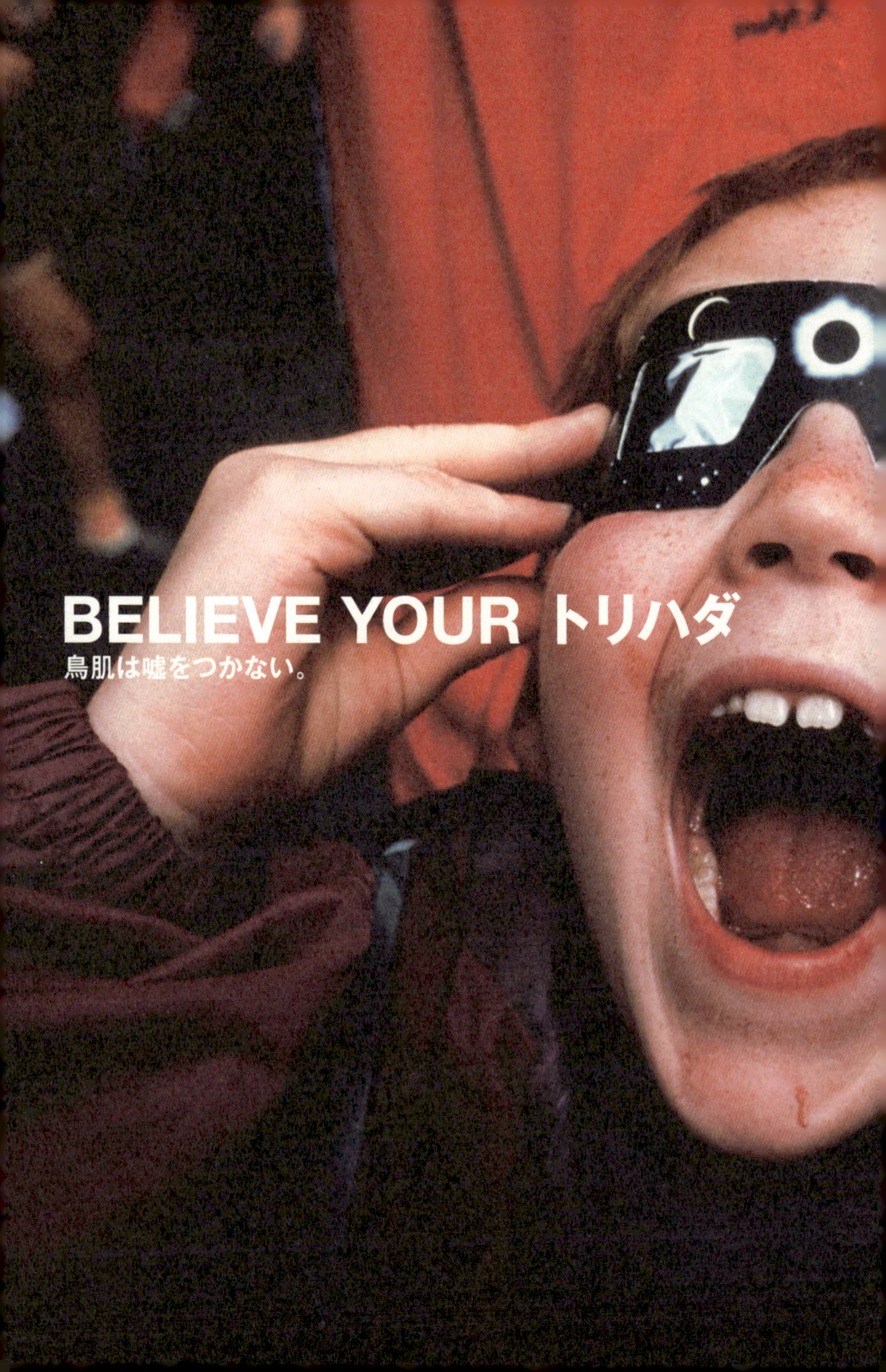
BELIEVE YOUR トリハダ
鳥肌は嘘をつかない。

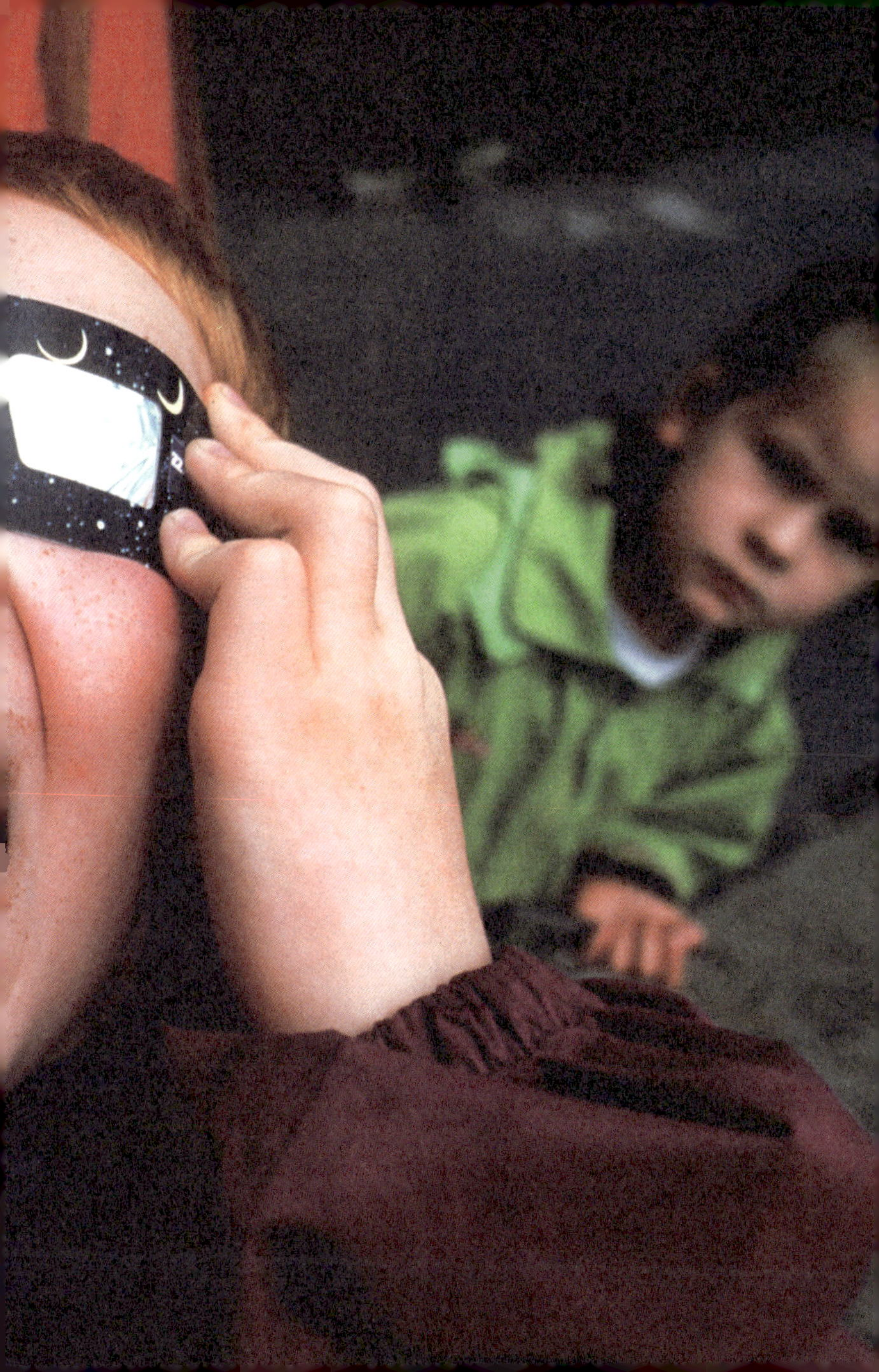

何かを選ぶということは、何かを捨てるということ。

誰かを愛するということは、誰かを愛さないということ。

キター!

脳みそ、スパーク!

答えは、教えてもらうものではなく、思い出すもの。
すべての答えは、すでに、自分の中にある。

ONE

勝手に生きろ。

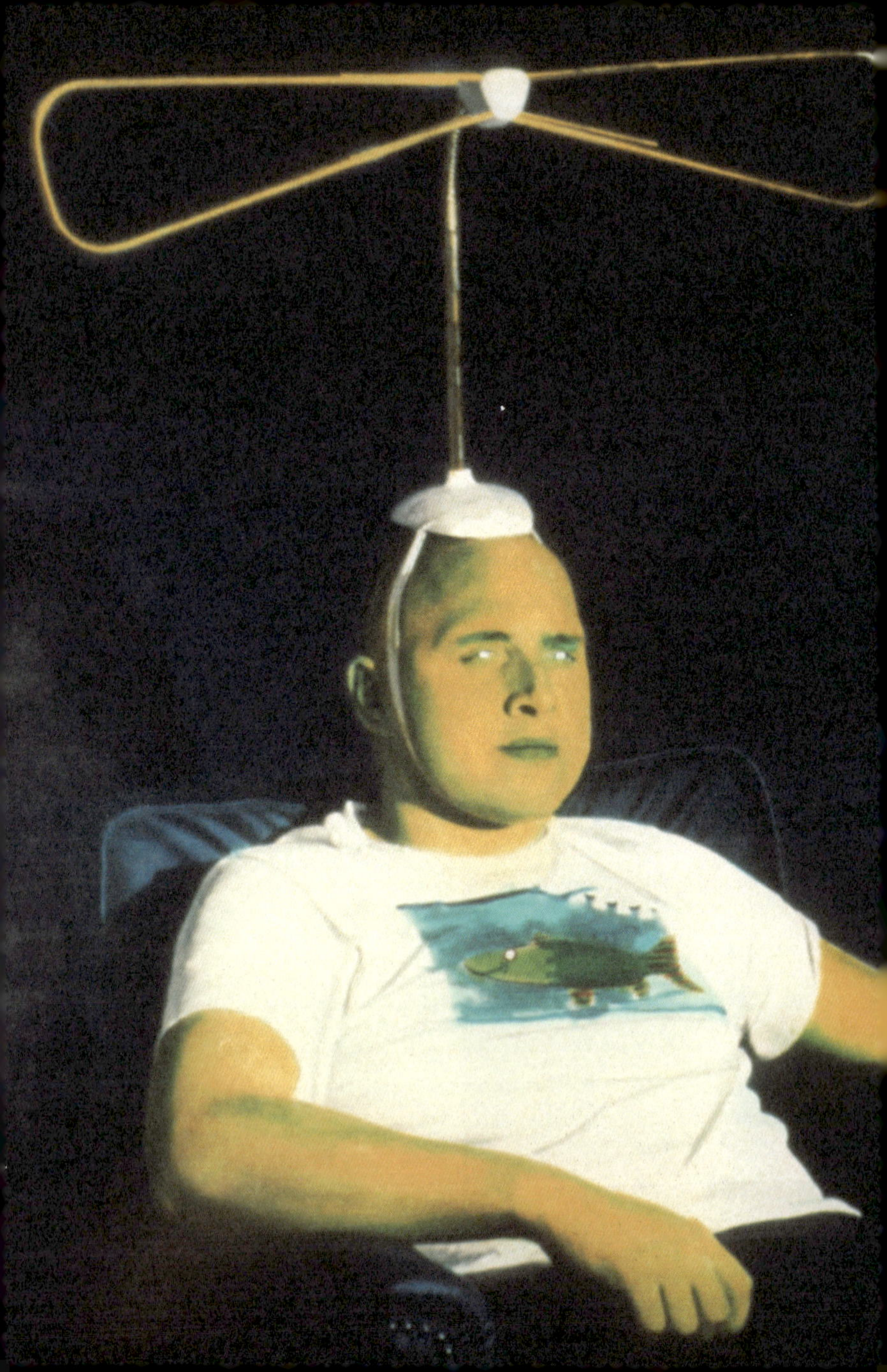

自分の仕事を嫌っているような、
クソッタレだけにはなりたくない。

THE UNITED STATES
THIS NOTE IS LEGAL TENDER
FOR ALL DEBTS, PUBLIC AND PRIVATE
H3
2
B
B 49504988 B
2
Treasurer of the United States.
ONE

そこに魂はこもっているのかい？

足踏みしてても、靴の底は減るぜ。

未来のために今を耐えるのではなく、

未来のために今を楽しく生きるのだ。

遊びでも仕事でも、そんなのどっちでもいい。
もっともっと、見て聞いて味わって嗅いで触れて…
五感をバンバン解放して、自分の魂を喜ばせよう。

オレたちは生きている。

やれば、わかる。
ぐちゃぐちゃ言うな。

LOVEガ

PETROF
ムシャラ。

やっぱ、結果出す人って、
人の見てないところで、狂ったように必死にやってんだよ。
才能が、お金が、時間が…とか、能書きはやめて、

毎日3時間だけ寝て、
1日21時間×1ヶ月。

とりあえず、死ぬ気でやってみな。
きっと、何か見えてくるぜ。

DIE BUSEN WUNDER VON LONDON

NO FU

才能や環境うんぬんの前に、
まず、本気さ、真剣さで負けてちゃ話にならない。
なんでもそうだ。マジでやってない奴に未来はない。NO FUTURE!

それが、オマエの全力かよ？
それじゃ、あまりに寒くねぇか？

って、常に自分自身に聞きながら、日々、完全燃焼していこうぜ。

TURE

よーし。
今日はよくやった。

ビバ! 俺!

Rigips
KÜC

方角を失った旅ほど、ワクワクするものはない。
方角を失った日常ほど、退屈なものはない。

3

LOVE or FREEじゃない。
LOVE & FREEなんだ。

他人のルールは、オレを縛るが、
自分のルールは、オレを解放する。

自分のルールを決めれば、決して迷わない。

自分は、どうしたいか。
本当は、知っているだろう？
さぁ、ビビってないで、
自分の未来にダイブしな！

どう生きるか？
それだけは、自分で考えろ。
そして、自分で決めろ。

本当に大切なことは、
人に相談しないほうがいい。

成功者になりたい?
会社を大きく?
有名人に?
そんなの、
おしりペンペンだね。

一生、雑魚であれ。
一生、旅人であれ。
俺は、ずっと、そんな感じでいくぜ。

すべては、今、ここにある。
今、何をするかで、過去の意味も変えていける。
今、何をするかで、未来も新しく創っていける。
すべては、今、ここにある。

ねぇ、ぶっちゃけ、どうなわけ?

焦ることはない。
何歳で出逢ってもいいんだ。

一生にひとり、「この人!」に出逢えば、幸せになれる。
一生にひとつ、「この仕事!」に出逢えば、幸せになれる。
大切なのは、探すのをやめないことだ。

逆らうでもなく、従うでもなく。
ただ、自分のペースで軽やかに。

ワクワクセンサーに従って、旅を続けよう。

オレは、今、ここにいる。
常に、今いる場所から、前を見る。

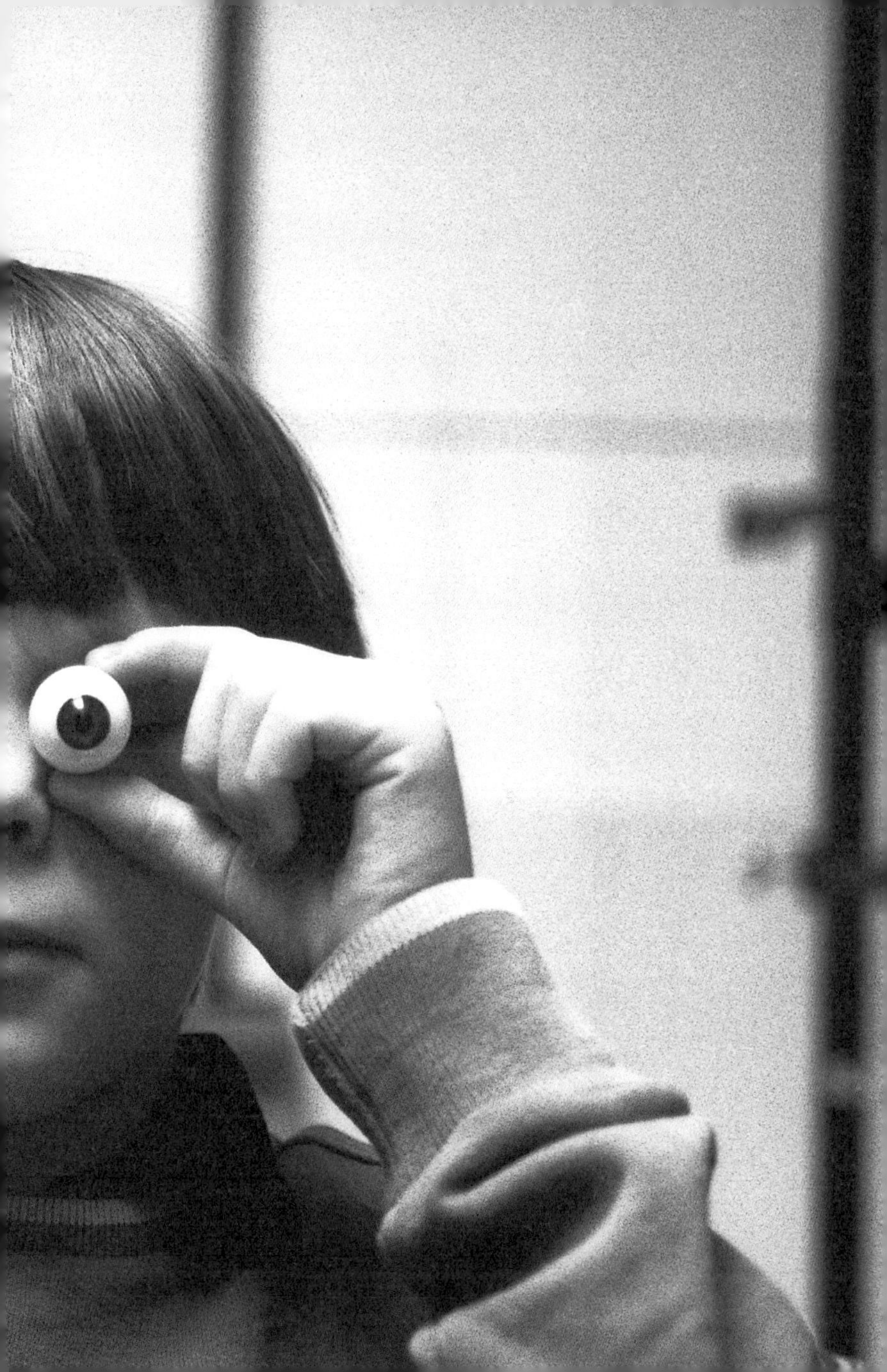

いいねぇ、それ。
マジ、やろうぜ!

たった一度の有限な人生だ。
やりたくないこと、やってる暇はない。

遊ばざる者、働くべからず！

自分の努力不足を才能のせいにするなんて、
産んでくれた両親に失礼なやつだな。

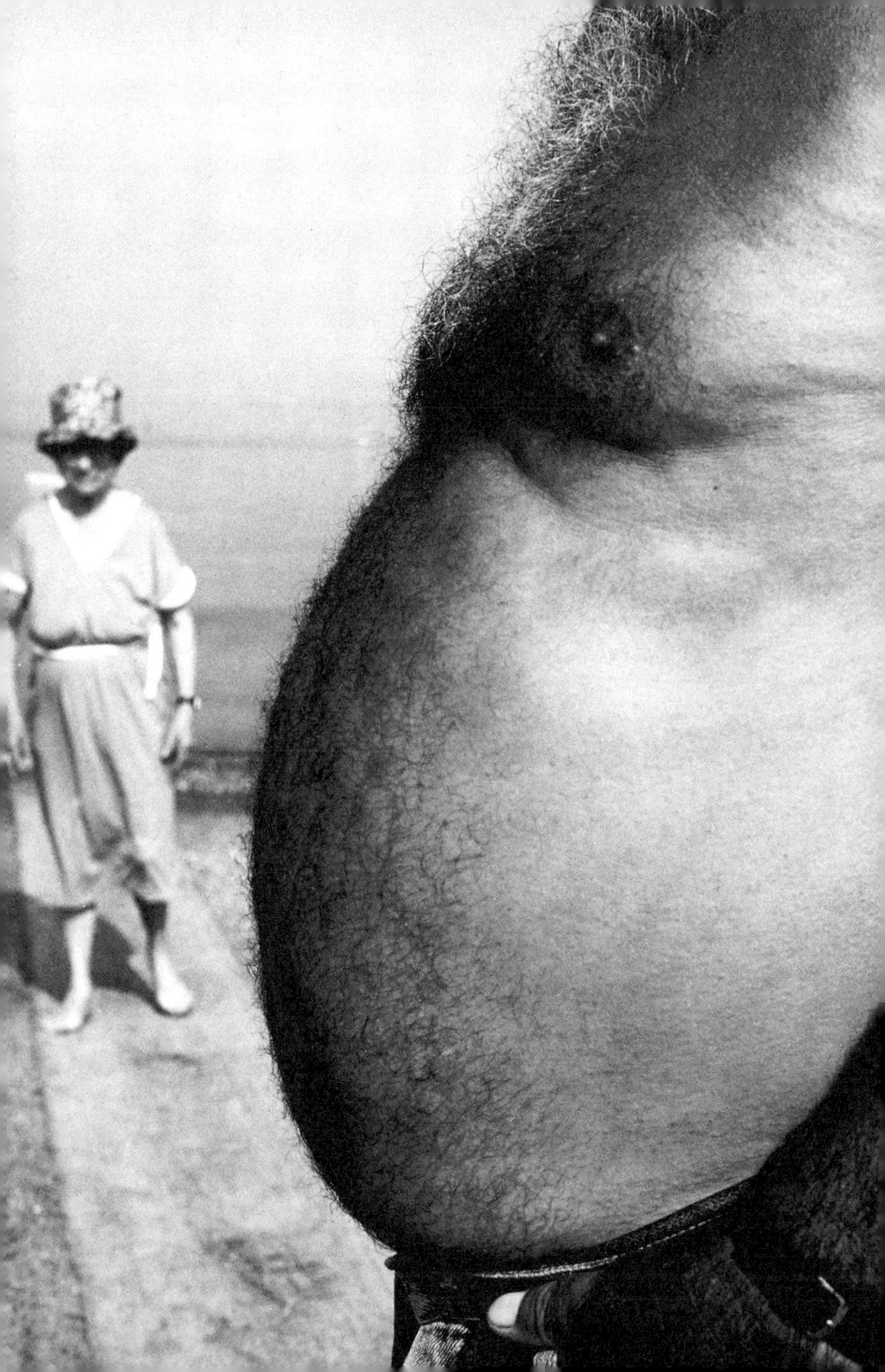

マジ?

それがオマエのマックス?

やって、やって、結果が出るまでやり抜くのみ。
自信をつける方法は、それしかないでしょ。

RITTER
HB

俺は、反省フェチ。
いつも、テンションだけで突っ込んでいくから、最初は死ぬほど失敗するけど、
失敗ごとに、ひとり反省会を開いて、同じ失敗は２度と繰り返さない。
そうやって、初期の貧乏&借金に耐えながら、前進を続けるうちに、
いずれ、失敗のネタも尽きて、失敗が満員御礼になって、
うまくいくようになるって感じ。
いつもそう。同じ。

何事にもビビらない奴なんて、いないべ。

ビビってもやるか、
ビビってやめちゃうか。

ただ、それだけの違いだろ。

ビビんな。

死ぬわけじゃねぇ。

そんなに嫌なら、
やめればいいじゃん。

やりたくないことを続けるのが、一番の逃げだと思うぜ。

自由も幸せも、なるものじゃない。感じるものだ。
もっと肌で。もっと身体で。

ポジティブでもなく、ネガティブでもなく、リアルに。

倒れるときは、

前のめり!

本当に大切なもの以外、すべて捨ててしまえばいいのに。

動物界。哺乳類。霊長目。ヒト科。学名ホモサピエンス。
この生物が、幸せに暮らすために必要なものは、
そんなに多くない。

オレたちは、自由に生き

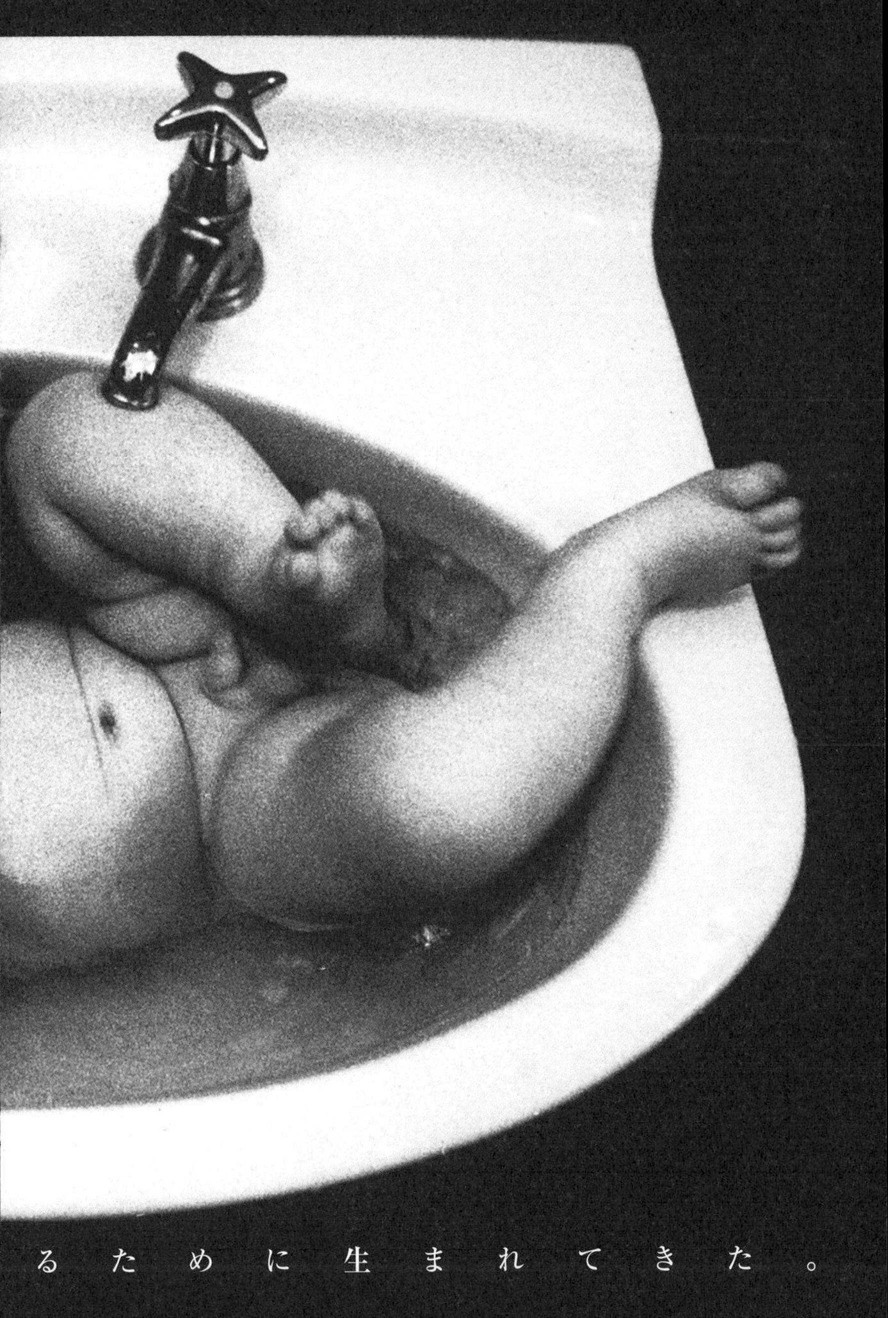

るために生まれてきた。

よっしゃ!
可能性がゼロじゃないなら、
やってみるべ。

どんなヒーローも、誰かのマネから始まってる。
まずは、憧れる人を徹底的にマネすることだ。
パクリまくっているうちに、ふと気がつくと、
オリジナルが生まれているから。

大事なことは、どっちを選ぶかじゃない。
選んだ後どう生きるか、だ。

どっちの道を選んだとしても、
「やっぱり、こっちを選んでよかった!」って、
笑えるように、頑張るのみ。

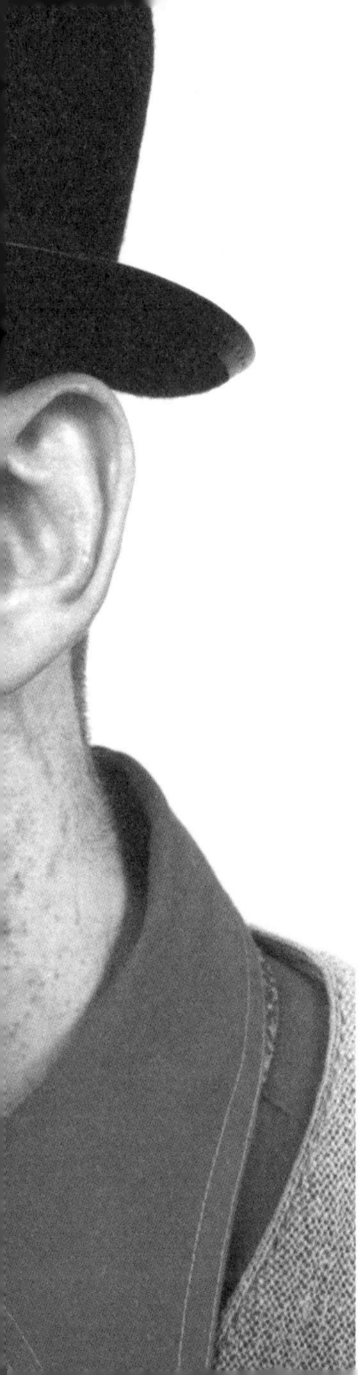

ん?ん?
要は、どうしたいの?
はっきり言ってよ。

やりたいことが見つからないんじゃない。
決めることにビビってるだけだろ。

「これでいい」じゃなくて、
「これがいい」でいこうぜ!

行動に理由なんていらない。

理由は後からついてくる。

まずは、
根拠のない自信で突っ走れ！

FUCK!
口だけクン!
やってから言ってみな!
M.

たまには、もにょもにょしようかな。

さぁ、裸になって、自分に還ろう。

おっしゃ！
ここが勝負だ！

ピンチのときこそ、ちっちゃくならずに、
ぶちかましていこうぜ！

等身大でありたい? なにそれ。
等身大じゃ、チビのまま。
ガンガン背伸びして、チャレンジしていこうぜ。
Castrol

Castrol
Castrol
Castrol
5-76
Castrol

酒は飲んでも飲まれるな！
でも、ボク、飲まれてます！

細かい人生設計な

一番大切なものをしっかり抱きしめながら、
ただ、やりたいことを必死にやり続けることだ。
そうすれば、人生なんて、自然にうまく設計されていくから。

んて、いらねぇよ。

安定した暮らしなんて、じいちゃんになってからでいい。
どんどんチャレンジしなきゃ、心も身体もパワーダウンしていくぜ。
日々、楽しそうだけど大変なところに飛び込んでいって、

やべぇ! マジかよ? すげぇ!って、
驚いたり、戸惑ったり、動揺しまくりたい。

VOLLMILCH

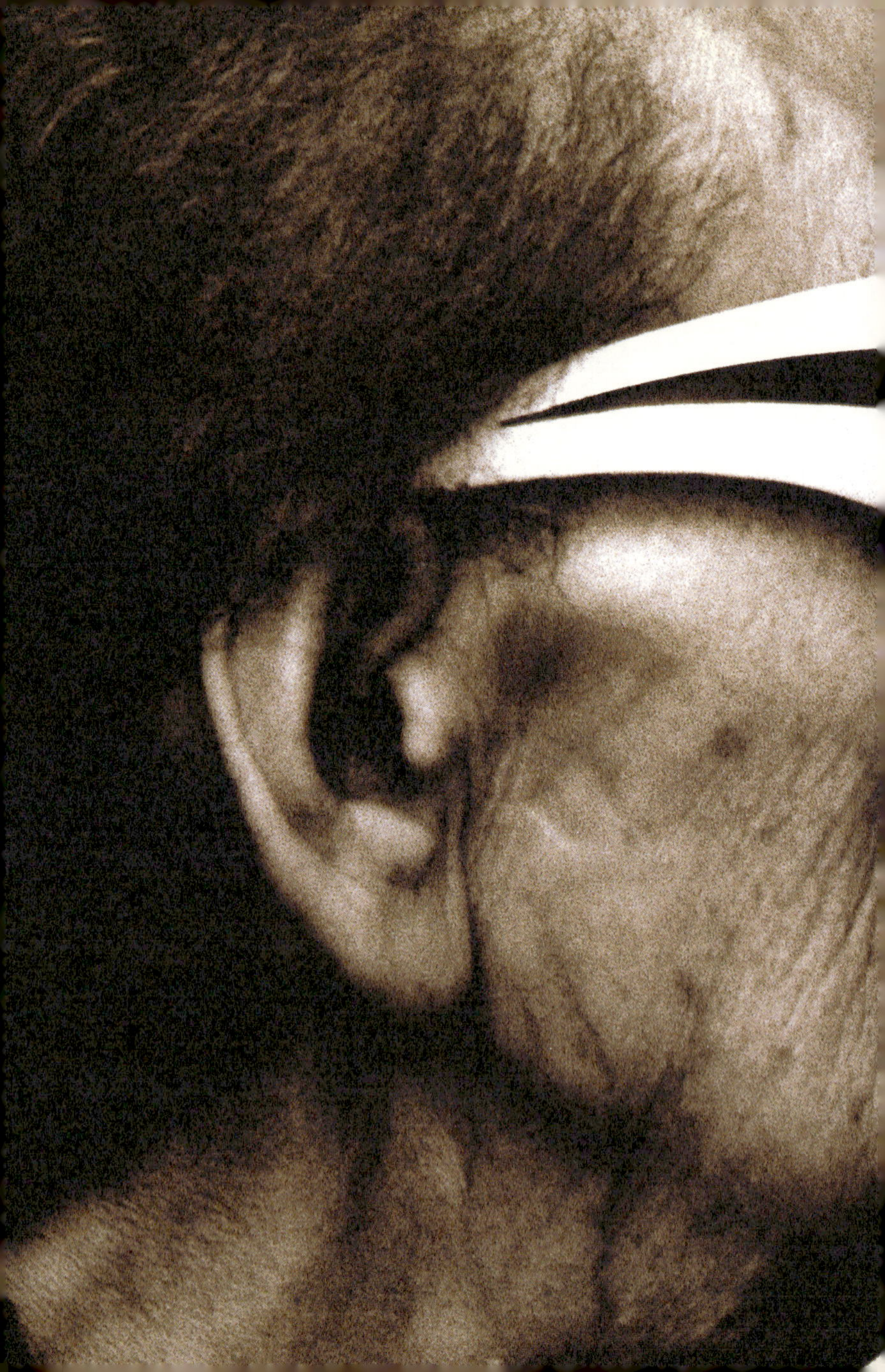

オモシロキ　コトモナキ世ヲ　オモシロク

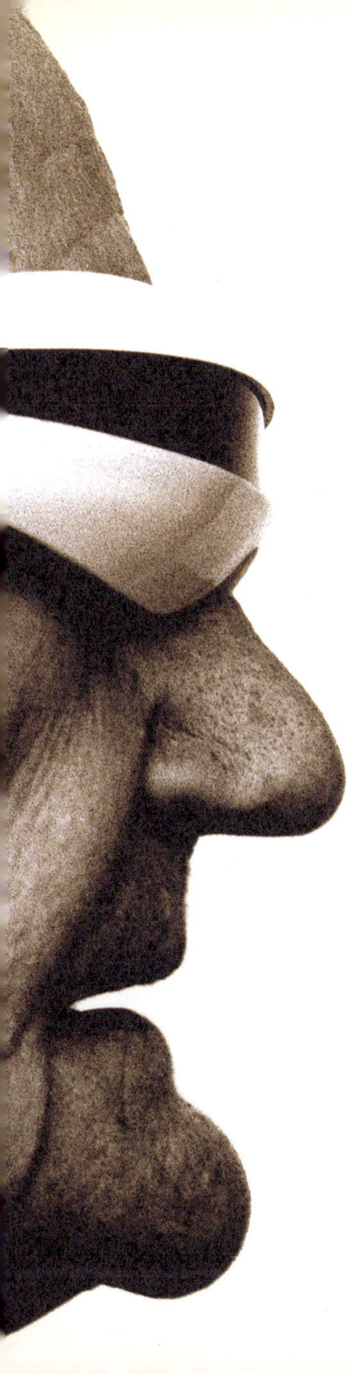

世界中の人に、日本人ってかっこいい!って想わせてぇ〜。

まぁ、まずは自分からだろ。
頑張ります! 押忍!

成功するか？　失敗するか？
そんなのわかりきったことじゃん。

成功するまでやれば、
必ず成功する。

あんた、そこで、見てるだけかい？

いっぱい失敗したっていい。

いくら苦しくても逃げ出すことなく、
最後に圧勝すればいいわけよ。

HH KP 1556

勝負の時は、
なにも考えず、まっすぐぶつかればいい。

いろいろ複雑に考えて、小細工使って、
その結果負けたりしたら最悪だべ。

飲んで、語ってるだけじゃ、夢なんて叶うわけないじゃん。
でも、飲んで語ることから始まる夢は多いよね。

行動の伴わない精神論は害だ。

行動に理由なんていらない。

やりたいからやる。

それだけで充分でしょ。

周りの騒音に負けず、初期の貧乏にも負けず。

好きなことに熱中し続ければ、
みんな「天才」になれる。

すべての名作は、自己満足から始まる。

HB UA

まずは、
やりたいことをやり始めることだ。

それをどうやって金につなげるかは、
やりながら考えればいい。

「俺はひとりでもやるぜ」

だからこそ、いい仲間が出来るんだと想う。

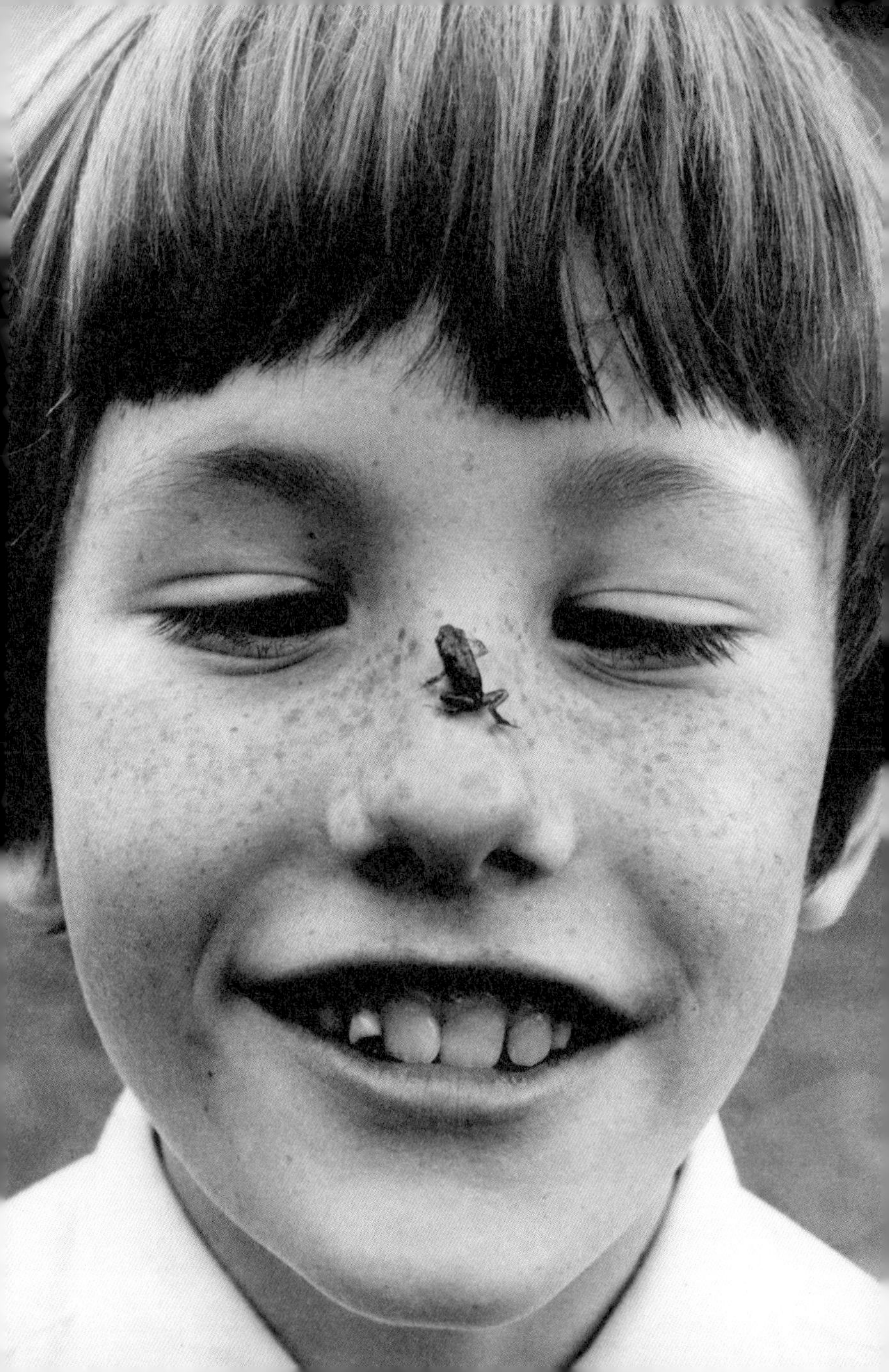

信じて続けろ!

ゴールは、いきなり現れる。

最近、なんか、ムカつくことばっかり。
神様。もうやめてよ。
今度は、オレに何を学ばせようとしてるの？

ごめんね。
今日は、ぼんやりする日なの。

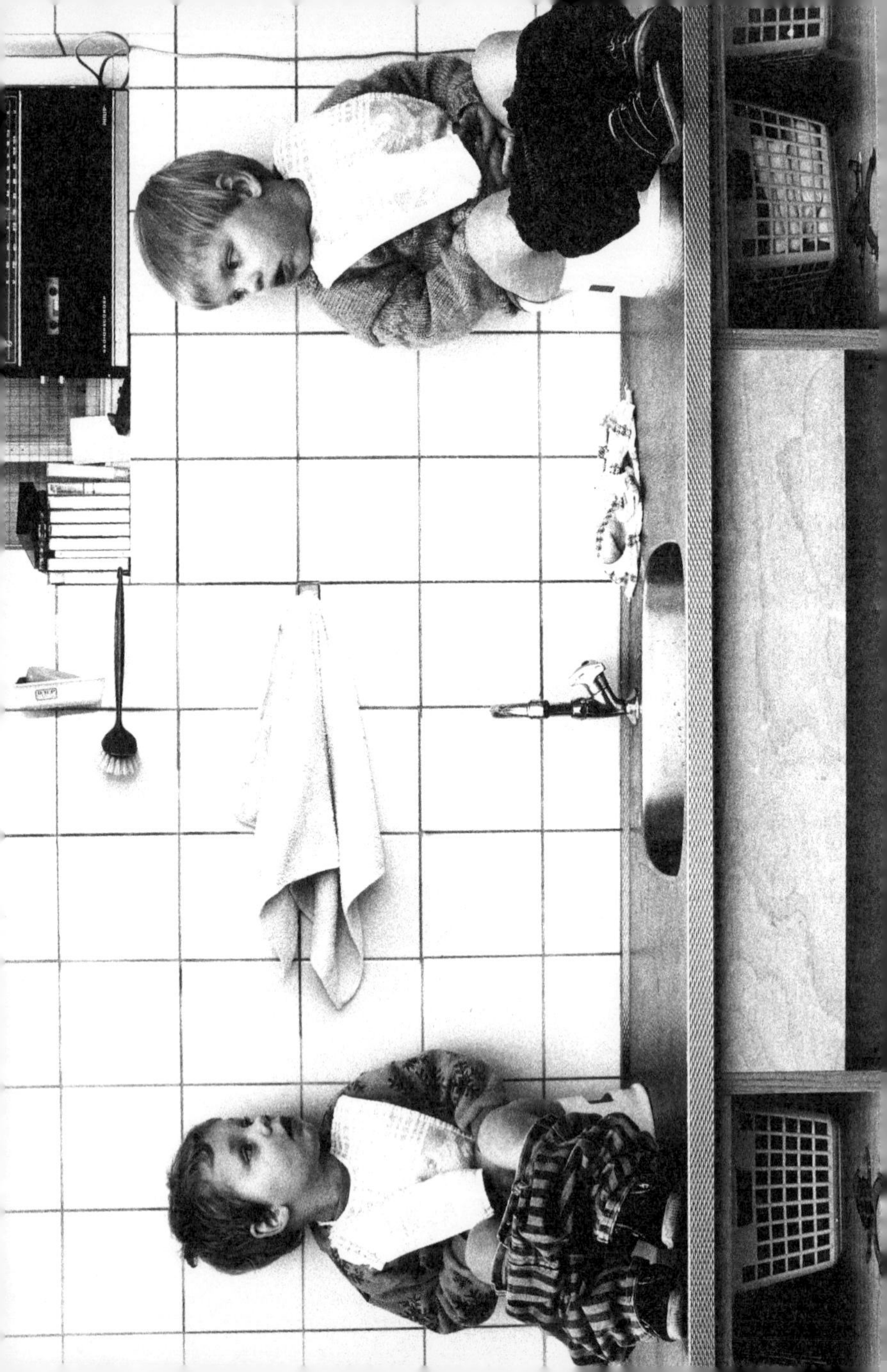

幸せは、いつも、3メートル以内にある。
身近な相手との人間関係が、幸せを作っている。

「ありがとう。」
「ごめんね。」

大切なアイツへ。大切なあの人へ。
日々、このふたつの気持ちをちゃんと伝えてみようぜ。

PSI
Coca-Cola
Spr

誰もわかってくれない、と嘆くのではなく、
伝えるための技術を磨こう。

オレは最強。
でも、常に勉強。

人生学校36年生、今日も学校へ行ってきます!

創ったり、壊したりしながら。殴ったり、蹴られ

たりしながら。どんどん透明になっていきたい。

ふたりがひとつであるために。
ふたりがふたりであるために。

なんで、この人と結婚しようと思ったかって?

人生最大の選択に、理由なんてねぇよ。

妻のさやかにとって、ヒーローであり続けたい。
俺の一番の欲求は、それかな。

I LOVE YOU.

さやか。愛してるぜ！

ずっと一緒に、いような。イツモ。イツマデモ。

オレは、結婚して、さらに自由になった。
オレは、子供が出来て、さらに自由になった。
愛しあえばあうほど、人は自由になっていく。

子育てほど、大変なことはない。
でも、子育てほど、感動することはない。
この地球上に、子育てを超える冒険は、きっと、ない。

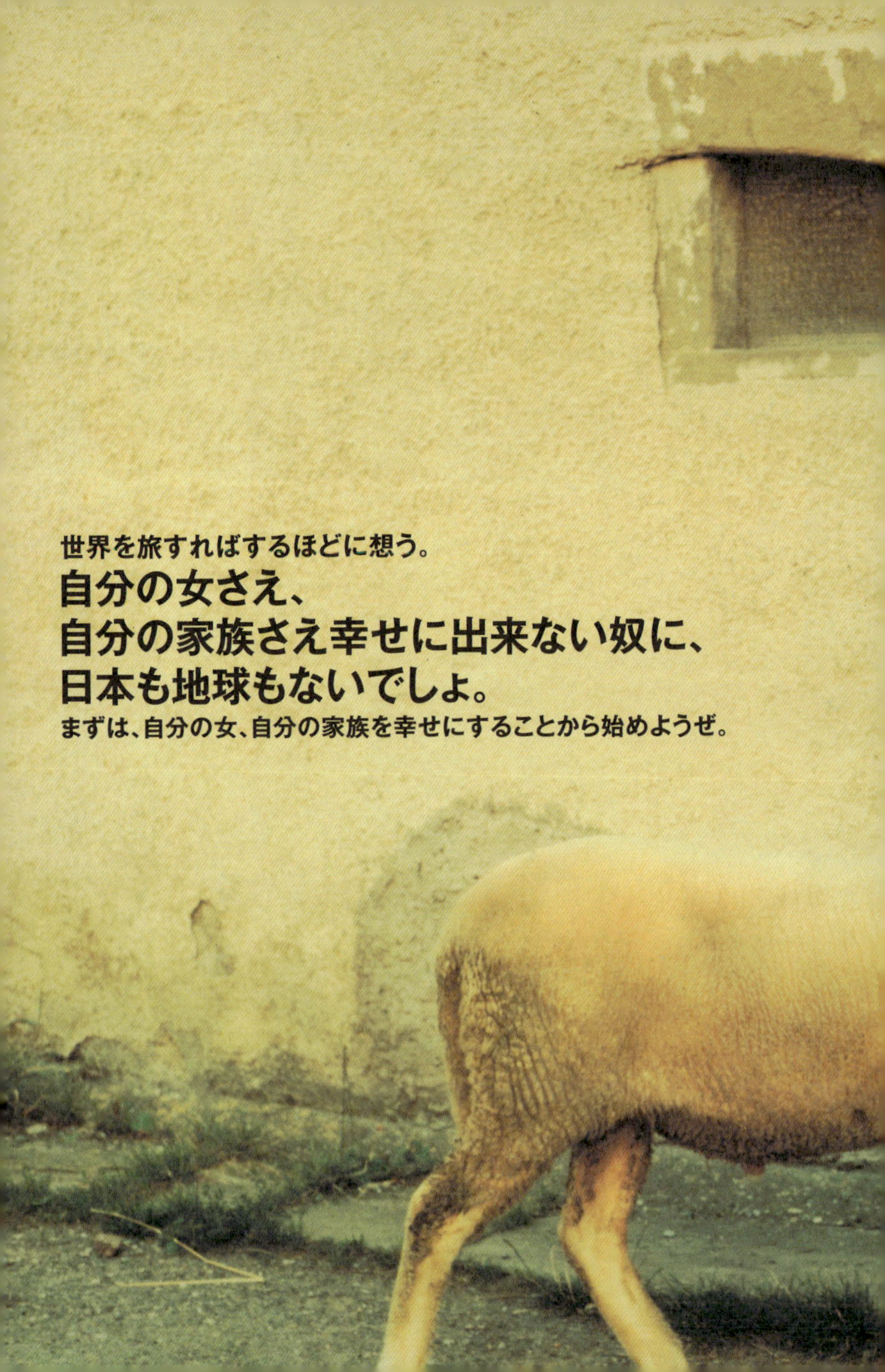

世界を旅すればするほどに想う。

自分の女さえ、
自分の家族さえ幸せに出来ない奴に、
日本も地球もないでしょ。

まずは、自分の女、自分の家族を幸せにすることから始めようぜ。

せっかく生まれてきたんだし。
世界を変えるような、でっかいことをやりたい！
だからこそ、
目の前のひとりひとりに愛を。
ひとつひとつに心を込めて。
すべては、つながっている。

一生がアートだ。

死ぬときに、「自分という作品」に感動したいだけ。

死ぬまで、一生懸命、生きよう。幸

せは、いつも、一生懸命の中にある。

この時代、この国に、僕らは生まれた。

残り数十年の人生。
お互いに、そして機会があれば一緒に、
楽しいことをいっぱいしよう！

愛する人と、自由な人生を。

キミの心の中のトムソーヤは元気かい?

高橋歩作品集
A's WORKS 1995-2009
AYUMU TAKAHASHI'S WORKS / BOOKS&PRODUCTS

'95

HEAVEN'S DOOR　著：高橋 歩

発行・発売：サンクチュアリ出版　ISBN978-4-921132-53-8　定価：1260円(税込)

すべてはここから始まった。

高橋歩の処女作。無一文の大学生だった高橋歩と仲間たちが、「自分の店を出したい!」という夢を追いかけ、借金だらけでアメリカンバー「ROCKWELL'S」をオープンし、2年間で4店舗に広げていくまでの物語を中心に、様々な体験談がまっすぐに綴られたエッセイ集。

'97

毎日が冒険　著：高橋 歩

発行・発売：サンクチュアリ出版　ISBN978-4-921132-07-1　定価：1365円(税込)

夢は逃げない。逃げるのはいつも自分だ。

無一文、未経験&コネなしから、「自分の店」を創り、「自分の出版社」まで創ってしまった冒険野郎・高橋歩25歳のときの自伝。笑って笑ってちょっぴり泣ける、ジェットコースター・エッセイ。

'99

SANCTUARY　著：高橋 歩・磯尾 克行

発行・発売：サンクチュアリ出版　ISBN978-4-921132-04-0　定価：1260円(税込)

夢を叶える旅に出ろ!

自分の自伝を出版するために、無一文から、仲間と共に平均年齢20歳の史上最年少出版社を立ち上げ、出版界に旋風を巻き起こした高橋歩、サンクチュアリ出版での3年間の軌跡。

'01

LOVE&FREE　文／写真：高橋 歩

発行・発売：サンクチュアリ出版　ISBN978-4-921132-05-7　定価：1365円(税込)

放浪しちゃえば?

「ドラゴンボール7つ揃ったら何したい?」「あゆむと世界一周かな?」。そんな妻との何気ない会話から始まった、高橋歩の「世界一周」という夢。妻とふたり、南極から北極まで気の向くままに数十カ国を旅して歩いた、約2年間の世界一周冒険旅行の記録。

'03

Adventure Life　著：高橋 歩

発行・発売：A-Works　ISBN978-4-902256-00-0　定価：1470円(税込)

愛する人と、自由な人生を。

30歳になった高橋歩の心の真ん中にあったのは「愛する人と、自由な人生を」という想いだった。"夢"と"冒険"に生きる自由人・高橋歩が、20代の集大成として綴った、10年間のライフストーリー&言葉集。

'03

人生の地図　編著：高橋 歩

発行・発売：A-Works　ISBN978-4-902256-01-7　定価：1470円(税込)

人生は旅だ。自分だけの地図を描こう。

たった1度の人生。限られた時間の中で、自由に、自分の好きなように、人生という名の旅を楽しむために・・・。「自分を知る」ということをテーマに、インスピレーション溢れる言葉と写真を詰め込んだ、高橋歩、渾身の作品。

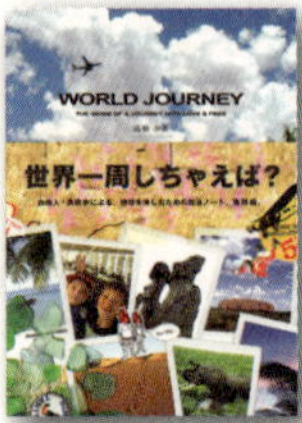

'05

WORLD JOURNEY　編著：高橋 歩

発行・発売：A-Works　ISBN978-4-902256-04-8　定価：1470円(税込)

世界一周しちゃえば?

高橋歩の経験をベースに、多くの世界一周経験者や旅のスペシャリストの協力を得て創られた世界一周放浪ガイド。読んで楽しめる&旅先で超ツカえる、旅のバイブル。

'06

LOVE&FREE NY Edition　文／写真：高橋 歩

発行・発売：サンクチュアリ出版　ISBN978-4-86113-916-1　定価：2625円(税込)

放浪しちゃえば?

「ニューヨークでも出版社創っちゃおう!」ということで始まった海外出版の第一弾、『LOVE&FREE』バイリンガルバージョン。高橋歩が世界中で取りおろした写真を新たに加え、新しくデザインし直し、アート本として生まれ変わった1冊。

'06

イツモ。イツマデモ。　著：高橋 歩

発行・発売：A-Works　ISBN978-4-902256-06-2　定価：1470円(税込)

大切な人の存在が、人生という名の旅を、もっと自由にする。

高橋歩の真ん中に常に溢れている想い、それは身近な妻や家族や仲間へのLOVEだった。「大切な人を、大切に」。そんなシンプルなメッセージを短い文章と写真で表現した作品。

'06

自由への扉　著：高橋 歩

発行・発売：A-Works　ISBN978-4-902256-07-9　定価：1470円(税込)

僕らは、自由に生きるために生まれてきた。

この世界は素晴らしい。生きるって素晴らしい。そんな想いを込めて。
高橋歩が、自身の『自由への扉』を開くきっかけとなった様々な作品を交えながら綴った、人生という名の旅を楽しむための言葉&写真集。

'08

愛しあおう。旅にでよう。　著：高橋 歩

発行・発売：A-Works　ISBN978-4-902256-13-0　定価：1470円（税込）

飛び出すように、ひとり旅に出た。

さまざまな人々と出逢い、飲み、語りながら。
ときには、ひとりで、風に吹かれ、空を見上げながら。
旅をしながら刻んだ言葉と写真を綴った、愛と自由の旅ノート。

'09

ISLAND STORY ～終わらない夏の物語～　著：高橋 歩

発行・発売：A-Works　ISBN978-4-902256-17-8　定価：1470円（税込）

沖縄で、史上最強の楽園を創っちゃうか？

無一文&未経験から、仲間たちと共に、伝説の自給自足ビレッジを創った――
世界放浪の末に辿り着いた場所。沖縄で過ごした8年間のストーリー。

'05

高橋 歩 ポストカードシリーズ

文／写真：高橋 歩

制作：A-Works
定価：各 1800 円（税込）
特製 BOX & アクリルケース付き
通信販売限定

高橋歩の世界観が、ポストカードになって登場。16 枚のメッセージ入りポストカードと、3 種類のステッカーを、特製のポストカードホルダー&ボックスに入れてお届けします。

series シリーズ

01 title: SANCTUARY　02 title: LOVE&FREE
03 title: ADVENTURE LIFE　04 title: THE LIFE MAP

'99-'00

DEAR.WILDCHILD vol:1-5 ディア・ワイルドチャイルド

文／写真：高橋 歩

発行：高橋 実　発売：サンクチュアリ出版
定価：各巻 1800 円（税込）　120cm×140cm
特製 BOX & ケース付き　通信販売限定

世界中を旅しながら、胸に溢れた想いをノートに書き殴り、目に映る「いいじゃん！」っていうシーンを小さなデジカメで切り取った。そんな「言葉」や「写真」を集めて創った、高橋歩の世界一周旅ノート、全 5 巻。

series シリーズ

volume.01　title: OPEN／オーストラリア編
volume.02　title: REAL／東南アジア編
volume.03　title: SIMPLE／ユーラシア編
volume.04　title: BEAUTIFUL／ヨーロッパ・アフリカ編
volume.05　title: HAPPY／南米・北米編

'06

LOVE&FREE / DVD

高橋 歩 & 高橋 清佳

制作：A-Works
Music：Caravan
価格：3990 円（税込）
MOVIE 本編（53min.）
通信販売限定

LOVE&FREE溢れる、世界中の映像や音を詰め込んだ、高橋歩の初DVD作品。本編をはじめ、高橋歩のコメント入りバージョンや特別インタビュー映像を収録。その他特典も多数。ミュージシャン『Caravan』が全編音楽を担当。

ONLINE MARKET ART BEAT

PRESENTED BY FACTORY A-WORKS / SINCE 2008

書籍は全国の書店にてお買い求めいただけます。
店頭で見つからない場合や通販限定商品をお求めの場合は、下記のサイトにてお求めください。

http://www.artbeat.jp

FREEDOM ～フリーダム～

2009年9月30日　初版発行

著者　高橋歩

デザイン　高橋実
デザインアシスト　大津祐子
編集・制作　滝本洋平
A-Works Staff　池田伸・二瓶明・小海もも子

写真　MegaPress Agency

発行者　高橋歩

発行・発売　株式会社 A-Works
東京都世田谷区北沢2-33-5 下北沢TKSビル3階　〒155-0031
TEL:03-6683-8463／FAX:03-6683-8466
URL:http://www.a-works.gr.jp/　E-MAIL:info@a-works.gr.jp

営業　株式会社サンクチュアリ・パブリッシング
東京都新宿区荒木町 13-9 サンワールド四谷ビル　〒160-0007
TEL:03-5369-2535　FAX:03-5369-2536

印刷・製本　中央精版印刷株式会社

ISBN978-4-902256-24-6

高橋歩　Ayumu Takahashi

1972年東京生まれ。自由人。20歳のとき、大学を中退し、仲間とアメリカンバー「ROCKWELL'S」を開店。2年間で4店舗に広がる。23歳のとき、自伝を出すために、仲間と「サンクチュアリ出版」を設立。数々のヒット作をプロデュース。自伝の『毎日が冒険』もベストセラーに。26歳で結婚。結婚式の3日後、すべての肩書きをリセットし、妻とふたりで世界一周の旅に出かける。約2年間で世界数十ヶ国を放浪の末、帰国。その後、沖縄へ移住し、自給自足のネイチャービレッジ「BEACH ROCK VILLAGE」を主宰。同時に、「A-Works」「Play Earth」「One Peace Books」など、複数の会社を設立。2008年11月より、再び旅人に戻り、家族4人で無期限の世界一周に出かけている。

［Official Web Site］ http://www.ayumu.ch